Imprimé et broché en France par Pollina, 85400 Luçon - n° L82465
Dépôt légal n° 9069 - mai 2001
22.50.4171.01/9 - ISBN : 2 01 224171 9
Loi n° 49-956 du 16 juillet 1949
sur les publications destinées à la jeunesse

Mes premières histoires de

BABAR

HACHETTE
Jeunesse

BABAR

et le serpent d'eau douce

Pour profiter de la belle journée, Babar a emmené
toute sa famille faire une promenade sur le lac de Célesteville.
« Quel calme ! s'extasie Céleste. L'eau est lisse comme
un miroir… »
La reine Céleste achève à peine sa phrase quand
une énorme secousse ébranle le bateau.
« C'était quoi, papa ? s'écrie Alexandre. J'ai cru que
nous allions tous passer par-dessus bord !
– Eh bien… hésite Babar. J'ai cru apercevoir un serpent
de mer ! A moins que ce ne soit un gigantesque tronc
d'arbre… »

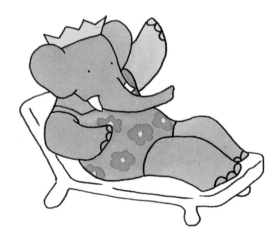

De retour au palais, Babar et Cornélius décident de tirer
au clair cette affaire :
« Qui pourrait nous aider ? se demande Babar.
– Et si nous allions voir notre ami le Professeur Jacques ?
propose Cornélius. C'est le meilleur spécialiste
de l'exploration des lacs et des mers, et il est en mission
sur le lac en ce moment.
– Bonne idée ! Allons-y tout de suite », répond Babar.
Arrivés au bord du lac, le Professeur Jacques les attend déjà
dans son sous-marin, le *Limbo*.

De leur côté aussi, les enfants mènent l'enquête :
« Retournons au lac », propose Arthur.
A peine sont-ils arrivés sur place, le serpent surgit
sous leurs yeux.
« Le monstre ! Vite ! Sauvons-nous ! » hurlent-ils.
Dans leur course effrénée, ils bousculent Babar
et Cornélius accourus en hâte, alertés par leurs cris.
« Au secours ! Le serpent de mer est là ! continue
de crier Pom.
– Calmez-vous, leur dit Babar. Nous venons de voir
le Professeur Jacques. Il s'agit certainement d'un serpent
d'eau douce, tout à fait inoffensif. Nous retournons
de ce pas au *Limbo* pour explorer le lac. »

Babar et Cornélius prennent place à bord du *Limbo*.
« Nous sommes un peu serrés, mais quel spectacle
extraordinaire ! » reconnaît Babar en regardant par
le hublot.
Brusquement, voilà qu'ils aperçoivent non pas un,
mais deux serpents.
« C'est une maman avec son petit, note le Professeur Jacques.
– Ces serpents d'eau douce n'ont en effet pas l'air bien
méchant, admet Cornélius.
– Je vais pouvoir rassurer les habitants de Célesteville »,
dit Babar, satisfait.

Malheureusement, Rataxès mijote un autre plan. Il décide
de capturer le serpent et se lance immédiatement
à sa poursuite.

Mais en fait de monstre, il prend dans ses filets le bébé
serpent et le ramène sur le rivage.

« Regardez tous ! C'est moi qui vous ai libérés du terrible
danger que vous faisait courir l'effroyable monstre…

– Ce n'est pas un monstre, mais un pauvre bébé sans défense !
proteste Flore. Rataxès, laisse-le partir, s'il te plaît. »

Hélas ! il est trop tard : sous les yeux terrifiés de Rataxès, apparaît la maman serpent. Babar s'empresse de libérer son petit.

« Tu vois bien que ces serpents n'ont rien de monstrueux. C'est seulement une maman qui prend soin de son enfant !
– Pardonne-moi, Babar, s'excuse Rataxès. J'ai eu peur et je voulais juste protéger mon fils Victor de ce que je croyais être un horrible monstre.
– Je te crois, Rataxès. L'essentiel est de reconnaître ses erreurs à temps », répond Babar.

Pour leur premier voyage en mer à bord du *Limbo,*
Pom, Flore et Alexandre sont gâtés! Le Professeur Jacques
leur fait des commentaires très détaillés sur ce qu'ils voient.
« Toutes ces merveilles ont besoin de notre protection,
explique-t-il. L'équilibre de la nature est fragile, et il suffit
parfois d'une petite bêtise pour entraîner de terribles
catastrophes.
– Une petite bêtise grosse comme un rhinocéros? »
demande Flore d'une petite voix.
Et tous éclatent de rire.

Devinettes
Jeux
Le sais-tu ?

« Vous êtes prêts, les enfants ? demande Babar.

Aujourd'hui, nous allons respirer l'air

de la campagne. »

Dans les champs, le mûrit doucement

au ◯ . Quand il sera doré, les paysans

le faucheront et il sera transformé en

pour faire du bon croustillant.

JEU

Devinette

On fait du pain avec du blé,
mais sais-tu d'où vient la laine ?
Et le lait ?

Sur le petit chemin de terre qui sent bon

le muguet, Flore et Pom observent

une dans une flaque d'eau. Elle est

la maman d'une multitude de

qui n'arrêtent pas de bouger leur queue

dans tous les sens. Quand ils seront grands,

ils rejoindront les dans la rivière…

As-tu bien écouté ?

Sais-tu comment on appelle les bébés
de la grenouille ?
Combien y a-t-il de têtards dans la mare ?
Et de poissons dans l'image ?

Réponse : il y a 2 poissons et 5 têtards.

« Aïe ! ça pique, s'exclame Isabelle en voulant attraper le avec sa trompe.

– C'est sa façon de se défendre, explique Babar. Un peu comme la qui rentre la tête quand le veut jouer avec elle !

Si tu veux l'apprivoiser, tu peux lui donner un peu de . »

JEU

Devinette

Parmi tous ces dessins,
montre ce qui est doux au toucher
et ce qui risque de te piquer.

Le défi de
BABAR

Une grande journée s'annonce. Babar a promis d'emmener
les enfants sur le plus beau lac du Pays des Éléphants.
Avant de partir, Pom et Alexandre s'entraînent à pêcher
les poissons qui nagent joyeusement dans le bassin
du palais.
« Je peux vous aider ? demande Flore.
– Désolé, mais le bassin est trop petit pour trois…
répond Pom.
– De toute façon, je préfère pêcher pour de vrai au lac »,
réplique-t-elle aussitôt.

Lorsque toute la famille arrive au lac, Pom et Alexandre
se précipitent à la recherche d'un coin pour pêcher.

« Je peux vous accompagner ? demande Flore.

– Désolé, mais nous n'avons pas assez d'appâts pour trois »,
répond immédiatement Pom.

Heureusement, Babar a besoin d'une coéquipière.

« Je vois que tu es seule, toi aussi. Veux-tu faire équipe
avec moi ? » demande-t-il.

Flore, ravie, ne se fait pas prier.

Babar se rend sans tarder jusqu'à son coin de pêche favori.
Une fois installé, il sort son nouvel hameçon.

« Avec ça, je suis certain d'attraper Écaille Noire, confie-t-il
à Flore.

– Oh, comme c'est joli ! s'écrie Flore en s'en emparant.
On dirait une sardine avec des cheveux… »

Hélas ! l'hameçon lui glisse des mains et tombe dans le lac.
Flore est désolée et s'excuse au moins dix fois.

« Ce n'est rien du tout », la rassure Babar un peu songeur.

La partie de pêche a bel et bien commencé. A peine Babar
a-t-il jeté sa ligne à l'eau que le bouchon s'agite.
« On dirait que ça mord ! dit-il tout content.
– Mais c'est Écaille Noire ! s'écrie Flore en apercevant
l'énorme poisson. Attends, papa, je vais t'aider
avec l'épuisette. »
Aïe ! Flore a coupé la ligne en deux.
« Ce n'est pas grave, Flore, murmure Babar, ce n'est pas
la première fois qu'Écaille Noire m'échappe. »

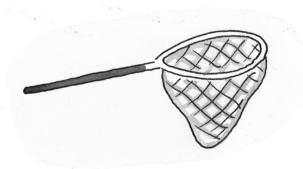

Pour le déjeuner, tout le monde se retrouve. Pom est très heureux car il a pêché un beau poisson argenté de 22 cm de long.

« Et toi, papa, tu as pêché quelque chose ? demande Alexandre.

– Euh, pas encore… répond Babar. Mais nous nous rattraperons tout à l'heure. N'est-ce pas, Flore ? »

Flore ne dit trop rien. Elle est si triste qu'elle en a la gorge serrée.

Mais l'après-midi arrive et tout le monde repart à la pêche.
Il y a tellement d'hameçons dans la mallette de Babar
que Flore ne sait pas lequel choisir.
« Je vais prendre ce joli papillon vert », annonce-t-elle.
Babar en choisit un rouge vif.
« Ces appâts vont nous porter bonheur », dit -il.
En effet, à peine ont-ils jeté leur ligne à l'eau qu'ils ferrent
chacun un poisson.
« Papa, aide-moi ! Je n'y arrive pas toute seule… »
Et Babar laisse filer sa prise pour aider Flore à remonter
son poisson.

Avant de rentrer au palais, chacun compare sa prise.
Le poisson de Flore mesure près de 35 cm. Pom a attrapé
un poisson exactement de la même taille et Isabelle, restée
sur le rivage avec Céleste, en a pêché un de 60 cm.
« Mais tu n'avais même pas d'appât ! s'étonne Alexandre.
– Mais si, répond fièrement Isabelle. J'ai mis une violette
au bout de ma ligne.
– Alexandre, ne sois pas vexé, dit Céleste. L'important
c'est de participer… »
Babar et Flore se sont promis de refaire équipe la prochaine
fois. Écaille Noire n'a qu'à bien se tenir !

Devinettes
Jeux
Le sais-tu ?

Alexandre a cueilli un énorme

pour Céleste.

« Qu'elles sont belles ! » lui dit-elle pour

le remercier. A la maison, Céleste les mettra

dans un en porcelaine. Arthur attend

que l' veuille bien s'en aller pour couper

une , la plus belle de toutes.

JEU

Connais-tu les couleurs ?

Donne les couleurs des dessins qui suivent :

« **M**ais où donc est passé Alexandre ?
demande Babar.

– Je suis là, au milieu des , répond-il.

Je suivais un de toutes les couleurs

et il a disparu. J'ai joué avec une ,

mais je l'ai perdue de vue. Et le court

beaucoup trop vite pour moi ! »

JEU

Le sais-tu ?

Dis ce qui vole, ce qui marche
et ce qui nage.

Babar et sa famille arrivent à la rivière.

« Quelle chance ! la est toujours là.

Vous voulez faire un tour, les enfants ? »

demande Babar.

Le est très occupé à construire sa maison.

Il ne faut surtout pas le déranger.

JEU

Devinette

Quel est l'animal le plus rapide
et le moins rapide ? Un intrus s'est glissé
parmi ces animaux. Qui est-ce ?

Réponse : le plus rapide est le lièvre, le plus lent la tortue.
L'intrus est la fourmi, car tous les autres sont marron.

BABAR

au théâtre

Ce soir, Céleste et Babar vont au théâtre. La salle
est comble et la reine Céleste écoute, émerveillée, l'acteur
sur scène en train de déclamer.

« Comme je l'envie ! dit-elle. Lorsque j'étais petite, je rêvais
de devenir actrice.

– Tu ne m'en avais jamais parlé, s'étonne Babar.
Il faut toujours réaliser ses rêves. Pourquoi ne passerais-tu
pas une audition ? »

Céleste se demande s'il n'est pas trop tard, mais Babar
l'encourage si vivement qu'elle se décide à franchir le pas.

Justement, le lendemain, Basile fait passer des auditions
pour une nouvelle pièce qu'il va monter.
« Vous ici, reine Céleste ! Je suis infiniment honoré…
vous serez merveilleuse dans le rôle de la fée.
– Ne devrais-je pas tout de même vous réciter quelque
chose ? » demande Céleste.
Mais avant qu'elle ait déclamé le premier vers, Basile a déjà
pris sa décision : c'est elle qui jouera le rôle principal.
Céleste est un peu intimidée, mais fort heureusement,
Ursula, une jeune comédienne, venue elle aussi passer
l'audition, lui donne de précieux conseils.

Céleste est aux anges. Elle court au palais annoncer
la nouvelle à Babar et à Cornélius.

« Oh, Babar, c'est merveilleux ! s'écrie-t-elle. Le metteur
en scène m'a confié le premier rôle, celui de la fée… »
Tous deux la félicitent et pour fêter l'événement, Babar
lui fait immédiatement porter des fleurs.

« Mais pas d'œillets ! prend-il bien soin de préciser.
Vous savez que la reine Céleste est terriblement allergique
à ces fleurs. »

Ça y est, c'est le grand soir ! Céleste est dans sa loge
et se prépare. Elle devrait être la plus heureuse des reines
et pourtant, une grande tristesse lui envahit le cœur.
« Si la pièce est un succès, je devrai partir en tournée
à travers tout le pays, songe-t-elle, et je serai loin de Babar
et de mes enfants. Cela, je ne le supporterai jamais ! »
Il lui vient alors une idée :
« Je vais appeler le plus grand fleuriste de Célesteville.
Allô, je voudrais faire livrer des fleurs au théâtre… oui…
pour la reine Céleste, un grand bouquet d'… d'œillets. »

Peu de temps avant le début de la représentation, Ursula
entre dans la loge de Céleste, un énorme bouquet entre
les bras.

« Majesté, dit-elle, on vient de déposer ces fleurs pour vous. »
Céleste s'empresse de respirer à pleins poumons
cette magnifique brassée d'œillets. Elle se met immédiatement
à éternuer. Basile est consterné :

« Quelle catastrophe ! Je vais devoir annuler la représentation.
– Je suis vraiment… atchoum !...désolée…, dit Céleste,
mais pourquoi Ursula ne jouerait-elle pas à ma place ?
Elle connaît le rôle aussi bien que moi… »

Quand le rideau se lève et qu' Ursula commence à interpréter le rôle de la fée, tous les spectateurs sont séduits.

« Comme elle joue bien ! dit Cornélius à l'oreille de Babar.

– Je suis de ton avis, répond Babar, mais je me demande pourquoi Céleste a cédé sa place à cette jeune comédienne. »

Le spectacle est un triomphe. Basile, ravi, ne cache plus sa joie :

« Bravo ! dit-il à Ursula. Grâce à toi, la tournée ne sera pas annulée. »

« Je ne comprends pas, s'étonne Babar lorsqu'il retrouve
Céleste. Je croyais qu'être comédienne était le rêve
de ta vie ?
Alors, pourquoi as-tu décidé de te faire remplacer ? »
Céleste sourit.
« Je ne trouverai jamais de meilleur rôle que celui
que tu m'as donné, avoue-t-elle. Etre reine auprès de toi
et m'occuper des enfants, rien ne peut me rendre
plus heureuse.
Et puis, d'ailleurs, pour être tout à fait honnête, je crois
qu'Ursula est bien meilleure comédienne que moi ! »

Devinettes Jeux
Le sais-tu ?

L'accostage de la se fait en douceur.

Tous les insectes se sont réunis au bord

de l'eau. L' tisse sa toile sur les .

Un peu plus loin, les fourmis transportent

des provisions dans la fourmilière.

« Bonjour, monsieur le des champs,

belle journée, n'est-ce pas ? » lui dit Alexandre.

Regarde bien l'image

Cherche tous les insectes de la page.

Réponse : les fourmis, la libellule.
Attention l'araignée n'est pas un insecte, car elle a huit pattes (au lieu de six) et son corps n'a que deux parties (au lieu de 3 pour les insectes). Elle appartient à une autre famille, celle des arachnides.

« Zéphir, pourquoi regardes-tu par terre ?
demande Arthur.

– Je cherche des , pardi !

– Mais ce n'est pas la saison, reprend Arthur.
Regarde plutôt en l'air, il y a plein de 🍒.

– Si tu ne te dépêches pas, les 🐦 vont tout

manger », ajoute Flore qui a déjà rempli un 🧺.

JEU

Le sais-tu ?

Zéphir cherche des champignons
mais il n'y en pas en cette saison. Parmi
les dessins, peux-tu dire ce que l'on trouve
au printemps et ce que l'on trouve en automne ?

Printemps : muguet, rose, cerise.

À la fin de l'été, les buissons seront chargés de et on pourra faire plein de confitures. Les aussi seront bonnes à cueillir. Les des arbres, devenues rouges, tomberont une à une avec le vent.

Attention de ne pas recevoir un sur la tête !

JEU

Sais-tu compter ?

Dis combien il y a de marrons, de noisettes dans les arbres et de mûres dans le buisson.

Réponse : il y a cinq noisettes sur le noisetier, trois marrons dans le marronnier, et six mûres.

BABAR

à la fête foraine

Aujourd'hui, il pleut à ne pas mettre une trompe dehors.
Et le vent souffle si fort que les arbres sont tout secoués.
« Ça me rappelle le jour de la fête foraine, dit Alexandre.
Pas vous ?
– Oh, oui, je me souviens ! s'écrie Isabelle.
– Mais tu n'étais pas encore née ! répond Flore. En tout cas,
je suis d'accord avec Alexandre. Il faisait un temps aussi
abominable le jour où nous sommes montés dans le ballon. »
Mais Alexandre rectifie aussitôt :
« Tu veux dire que le temps s'est gâté une fois qu'on était
là-haut ! Parce qu'au début, il faisait un soleil radieux,
je m'en souviens très bien… »

En effet, lorsqu'ils étaient arrivés à la fête foraine,
ce jour-là, avec Babar et Céleste, le ciel était tout bleu.
« On peut aller voir les ballons ? demanda Alexandre.
– Allez-y, mais soyez bien prudents… » recommanda Babar.
C'étaient d'énormes ballons avec des nacelles. Une simple
corde les empêchait de s'envoler dans les airs.
« Viens, Flore, monte avec nous », lancèrent Pom
et Alexandre.
Une fois en haut, ils virent Babar, Céleste et Cornélius
restés au sol les regarder avec un air inquiet.

Puis, soudain, le temps se gâta. De gros nuages noirs s'amoncelèrent et l'orage éclata.

« Il faut redescendre ! » gémirent Pom, Flore et Alexandre. Mais, au même moment, la corde se brisa et le ballon fut emporté par le vent.

« Quelle catastrophe ! s'écria Cornélius. Il faut sauver ces malheureux enfants ! Je monte dans un autre ballon.

– Vite ! dit Babar à Céleste. Grimpons dans ce dirigeable et lançons-nous à leur poursuite. »

Les deux aéronefs s'élevèrent au milieu des éclairs.

Ouf! L'orage passé, les enfants purent doucement
se remettre de leurs émotions. Mais comme ils étaient
haut! Et comme ils étaient loin!

« Regardez! Nous sommes arrivés au-dessus des nuages…
s'écria Pom.

– Je crois que nous n'irons pas plus haut, nota Alexandre.
On dirait que le ballon se dégonfle… »

Alexandre avait raison. Le ballon redescendit sous les
nuages et s'accrocha de justesse à la montagne. Flore refusa
de regarder en bas tellement elle avait le vertige.

« Il ne faut pas désespérer, dit Pom avec assurance. Grâce
aux couleurs du ballon, on nous retrouvera sûrement.
En attendant, je vais essayer de rapporter un peu à manger… »
Pom fit un brin d'escalade et suivit un chemin
qui le conduisit tout droit à une forêt. Là, il récolta
quelques baies. Tout à coup, une ombre s'approcha
et grandit de plus en plus. C'était le ballon de Cornélius.
Il avait failli lui tomber sur la tête !
« Comme je suis heureux de te revoir ! » s'exclama
le vieil éléphant.
Ensemble, ils décidèrent de rejoindre au plus vite Flore
et Alexandre.

Pendant ce temps-là, le dirigeable de Babar avait repéré
le ballon des enfants.
« Dieu soit loué, ils sont sains et saufs ! se réjouit Céleste.
– Un peu plus à droite ! Un peu plus à gauche !
indiqua Babar au pilote. Et maintenant, coupez
les moteurs ! »
Jamais Babar et Céleste n'avaient serré aussi fort Alexandre
et Flore dans leurs bras.
« Mais où est passé Pom ? » demanda tout à coup Babar.

Justement, Pom apparaissait, suivi du fidèle Cornélius.

« Tout est bien qui finit bien ! conclut Céleste
en embrassant Pom.

– Il est temps de repartir, dit Babar. Tout le monde à bord
du dirigeable ! »

Cornélius grimpa en dernier. Le voyage du retour fut
beaucoup moins mouvementé et même très agréable.

Ainsi finit cette journée à la fête foraine que Pom, Flore
et Alexandre n'étaient pas près d'oublier !

Devinettes
Jeux
Le sais-tu ?

Au village, on entend le  de l'église sonner six coups. Les se dirigent vers l'étable pour la dernière traite.

« Il est grand temps de rentrer, dit Céleste, car il ne va pas tarder à faire nuit. »

Le pourra alors aller chasser, éclairé par la .

JEU

Trouve le contraire des mots suivants

jour   dernière   rentrer   bruit   sombre

Dans le potager, la plante des .

« Venez donc m'aider, il y a beaucoup à faire ici », dit-elle aux enfants. Flore prend l' et arrose les plants de tomate. Arthur, le plus costaud, pousse la remplie de sacs de grains.

Les légumes du jardin

Tu peux voir sur l'image des poireaux
et des tomates.
Mais connais-tu ces autres légumes ?

Babar saisit le râteau et ratisse le sol pendant qu'Isabelle sème soigneusement les  .

« Est-ce qu'on peut manger des 🍓🍓 ? demande timidement Alexandre.

– Bien sûr, et si vous ne les mangez pas, les 🐌 s'en chargeront! » répond en riant la fermière.

JEU

Les outils du jardinier

Babar utilise un râteau pour aérer la terre.
Montre les objets dont on a besoin pour jardiner :

BABAR

et le mammouth
des neiges

Pom, Flore et Alexandre sont très contents de partir
en vacances à la montagne.
« Comme c'est blanc ! s'écrient-ils en contemplant
toute la neige autour d'eux.
– Est-ce qu'on est bientôt arrivés ? demande Alexandre.
– Bientôt, bientôt… promet Babar au volant de la voiture.
En attendant, vous n'avez qu'à compter les sapins,
ça vous aidera à trouver le temps moins long ! »
Mais des sapins, il y en a tant ! A peine ont-ils commencé
à les compter que les trois enfants s'endorment.

Au chalet, chacun vaque à ses occupations.

« J'espère qu'il y aura assez de couvertures ! s'inquiète
Céleste. Je ne voudrais pas que les enfants prennent froid.

– Avec un bon feu, le chalet aura vite fait de se réchauffer »,
assure Babar.

Cornélius dispose les bûches dans la grande cheminée.
Voilà, le feu est allumé ! Les flammes s'élèvent et dansent
joyeusement. Pom, Flore et Alexandre sont aux premières
loges.

« Attention à vos trompes, sourit Babar. Reculez,
si vous ne voulez pas vous brûler ! »

Le lendemain matin, Babar admire par la fenêtre
la montagne ensoleillée.

« Quelle merveilleuse journée ! s'écrie-t-il. Je vais faire
une promenade. Quelqu'un m'accompagne ?

– On aimerait mieux faire de la luge ! » disent les enfants.
Alors Babar part seul. Mais Cornélius se ravise : « Après tout,
une belle balade me ferait du bien. En me dépêchant,
je pourrai rattraper Babar. »

En empruntant un raccourci, il glisse et, patatras,
se retrouve au pied de Babar tout recouvert de neige.

« Tu m'as fait peur, plaisante Babar. J'ai cru que le grand
mammouth des neiges me tombait dessus…

– Voyons, Babar, tu sais bien que le grand mammouth
des neiges n'existe pas ! » poursuit Cornélius, une fois remis
de ses émotions.

Babar soupire, plein de nostalgie.

« A vrai dire, je ne peux pas m'empêcher de penser
qu'il est là, quelque part, au milieu de cette montagne,
et qu'il veille sur nous…

– Enfin, Babar, tu n'es plus un enfant ! s'exclame Cornélius.
Les mammouths ont disparu depuis des milliers d'années… »

Cornélius a peut-être raison. Oui, mais s'il se trompait ?

« Babar ! Cornélius ! crient les enfants du haut
de leur piste de luge en les voyant au loin.

– Et si on les suivait ? propose Flore.

– Ah oui, bonne idée, allons-y ! » approuvent Pom
et Alexandre.

Le vent souffle de plus en plus fort et les enfants
ont de plus en plus de mal à avancer. Une terrible tempête
s'annonce.

« On n'y voit plus rien ! gémit Pom.

– J'ai froid, pleure Flore.

– J'ai l'impression que quelqu'un nous fait signe là-bas »,
dit Alexandre.

La neige tourbillonne dans le vent glacé. Au loin,
on devine un énorme éléphant.
« Venez, il nous demande de le suivre », dit Alexandre.
Le grand mammouth conduit alors les enfants sous l'arbre
du Mont-Chauve, où ils seront en sécurité.
Entre-temps, Babar et Cornélius sont très inquiets :
« Regarde, s'écrie Babar, des traces de pas. On dirait celles
des enfants ! Suivons-les, elles nous mèneront jusqu'à eux. »
Babar et Cornélius arrivent à l'arbre du Mont-Chauve.
« Enfin, vous voilà ! » crient joyeusement les enfants.

Babar aperçoit à côté d'eux un animal immense à la toison rousse. Le fameux mammouth des neiges ! Il est très impressionné :

« Je vous remercie de tout mon cœur, monsieur le mammouth, d'avoir sauvé mes enfants ! »

Quand le mammouth s'éloigne, Babar demande :

« Alors, Cornélius, tu continues de penser que le grand mammouth des neiges n'existe pas ?

– Ah, j'ai dit ça, moi ? » répond Cornélius.

Zéphir est lui aussi de la partie. Très sérieux, il enfile des  pour ne pas se salir les mains et surtout ne pas avoir d'ampoules aux mains. Avec la , il retourne la terre pour planter des et aussi des radis...
C'est très bon la soupe aux navets !

JEU Et toi, aimes-tu la soupe aux navets ?
Regarde bien les fruits et légumes
qui suivent et dis lesquels
on peut mettre dans la soupe :

« Ce ne sont pas les mauvaises herbes mais des , dit Babar à Pom qui s'est mis en tête de désherber. Va plutôt arroser les au fond du jardin. »

Le tuyau d'arrosage ressemble à un long .

Il se met à bouger tout seul quand on ouvre le d'eau !

JEU

Connais-tu les couleurs ?

Désigne dans l'image ce qui est rouge,
ce qui est jaune et ce qui est rose.
Et le ciel, de quelle couleur est-il ?

U n, deux, trois ...

« Si j'en compte deux pour chacun,

ça fait six en tout. »

JEU

Regarde bien l'image

Isabelle a-t-elle assez de carottes
pour les lapins ?
Sais-tu ce que mangent les poules, les cochons
et les vaches ?

Réponse : Oui, il y en a bien six.